# Encore des histoires pressées

Du même auteur
dans la même collection

*Histoires pressées*
*Nouvelles histoires pressées*
*Pressé, pressée*
*Pressé ? Pas si pressé !*

et
*Histoires pressées*
(édition illustrée)

© 1997, Éditions Milan, pour la première édition
© 2007, Éditions Milan, pour le texte et l'illustration
de la présente édition
300, rue Léon-Joulin, 31101 Toulouse Cedex 9, France
Loi 49-956 du 16 juillet 1949
sur les publications destinées à la jeunesse
ISBN : 978-2-7459-2698-2
www.editionsmilan.com

Bernard Friot

# Encore
# des histoires
# pressées

MiLAN

# Rédaction

Tous les lundis, c'est pareil. On a rédaction. «Racontez votre dimanche.» C'est embêtant, parce que, chez moi, le dimanche, il ne se passe rien : on va chez mes grands-parents, on fait rien, on mange, on refait rien, on remange, et c'est fini.

Quand j'ai raconté ça, la première fois, la maîtresse a marqué : «Insuffisant.» La deuxième fois, j'ai même eu un zéro.

Heureusement, un dimanche, ma mère s'est coupé le doigt en tranchant le gigot. Il y avait plein de sang sur la nappe. C'était dégoûtant. Le lendemain, j'ai tout raconté dans ma rédaction, et j'ai eu «Très bien».

J'avais compris : il fallait qu'il se passe quelque chose le dimanche.

Alors, la fois suivante, j'ai poussé ma sœur dans l'escalier. Il a fallu l'emmener à l'hôpital. J'ai eu 9/10 à ma rédac.

Après, j'ai mis de la poudre à laver dans la boîte de lait en poudre. Ça a très bien marché : mon père a failli mourir empoisonné. J'ai eu 9,5/10.

Mais 7/10 seulement le jour où j'ai détraqué la machine à laver et inondé l'appartement des voisins du dessous.

Dimanche dernier, j'ai eu une bonne idée pour ma rédaction. J'ai mis un pot de fleurs en équilibre sur le rebord de la fenêtre. Je me suis dit : « Avec un peu de chance, il tombera sur la tête d'un passant, et j'aurai quelque chose à raconter. »

C'est ce qui est arrivé. Le pot est tombé. J'ai entendu un grand cri mais, comme j'étais aux W.-C., je n'ai pas pu arriver à temps. J'ai juste vu qu'on transportait la victime (c'était une dame) chez le concierge. Après, l'ambulance est arrivée.

Ça n'a quand même servi à rien. On n'a pas fait la rédaction. Le lendemain, à l'école, on avait une remplaçante.

—Votre maîtresse est à l'hôpital, nous a-t-elle annoncé. Fracture du crâne.

Ça m'était égal. On a eu conjugaison à la place. La conjugaison, c'est plus facile que la rédaction. Il n'y a pas besoin d'inventer.

# Envie pressante

Après trois «Maman, j'ai envie» de plus en plus plaintifs et un «Maman, ça presse!» quasi désespéré, sa mère, agacée, finit par arrêter la voiture en bordure d'une forêt. D'un bond, il sortit du véhicule et s'enfonça dans le sous-bois.

Au moment où il allait se soulager, le sol s'ouvrit à ses pieds. Une ouverture nette, large, dévoilant un escalier métallique qui semblait s'enfoncer vers l'infini.

– Ah! fit-il.

Et, curieux, il posa un pied sur l'escalier qui se mit en marche et l'emporta.

– Tiens! fit-il, un escalier roulant.

Il entendit le sol se refermer au-dessus de lui. Il ne pensa même pas à s'étonner. Dansant d'un pied sur l'autre, tandis qu'il descendait encore et encore, il regarda les parois scintillantes qui défilaient de chaque côté de l'escalier. Des formes argentées, ou rosées, s'y mouvaient en un ballet silencieux.

Enfin, il fut en bas. Et c'était un hall immense, lumineux comme une cathédrale en été, dallé de marbre gris et vert, parfumé de senteurs troublantes. Un long tapis rouge se déroulait devant ses pas. Il s'avança, les cuisses serrées l'une contre l'autre, regardant distraitement les créatures qui s'inclinaient à son passage. Il y avait des femmes à demi nues, à tête de chat, le dos paré d'ailes de papillon; des phoques en armures, aux moustaches frisées au fer; de longs serpents phosphorescents qui s'enroulaient gentiment autour du cou de girafes emplumées; et des centaines de soldats unijambistes qui riaient en agitant en tous sens des paniers à salade bleus ou blancs.

Au bout du long tapis rouge se dressait sur une estrade un trône fait de brosses à dents, de cartes à jouer, de ventouses et de chausse-pieds artistement assemblés. Une chèvre emperruquée, vêtue d'une robe moulante au décolleté profond, lui prit la main et le conduisit sur le trône. Un ministre à tête d'éléphant, qui avait l'air très vieux et très sage, lui posa une couronne sur la tête et glissa dans sa main un sceptre qui crachait en permanence un feu d'artifice étoilé.

Et puis un grand silence se fit. Tout son peuple, à genoux, attendait qu'il parlât. Alors il se leva, une main enfoncée dans sa poche, et dans le grand silence qui courbait les têtes il demanda :

– S'il vous plaît, c'est où, les toilettes ?

# Enquête

**M**a grand-mère est détective amateur. À force de lire des romans policiers et d'étudier les méthodes de Sherlock Holmes, d'Hercule Poirot ou du commissaire Maigret, elle a fini par se dire : « Pourquoi pas moi ? » Depuis, elle mène ses propres enquêtes, et elle trouve toujours la solution de l'énigme.

J'ai décidé de marcher sur ses traces et, l'autre jour, je lui ai demandé de me prendre comme apprenti détective.

— D'accord, a-t-elle dit, tu seras mon assistant. Dès qu'un nouveau cas se présente, je fais appel à toi.

Eh bien, aujourd'hui même, j'ai pu suivre mamie et observer sa méthode. En plus, c'était pratique, ça s'est passé chez nous. C'est maman qui a découvert le crime : la crème au chocolat qu'elle avait préparée pour ce soir avait été (largement) entamée, et il en restait à peine la moitié. Mamie s'est mise sans tarder au travail.

Pour commencer, elle a enfilé un imperméable et s'est coiffée d'un chapeau mou. Et ainsi attifée, elle a interrogé la victime.

– À quelle heure avez-vous découvert le vol ? a-t-elle demandé à maman.

– À trois heures et demie, quand j'ai voulu prendre un yaourt.

– Et à quelle heure aviez-vous mis la crème au Frigidaire ?

– Vers dix heures ce matin, a répondu maman.

– Bien, a conclu mamie, nous pouvons donc en déduire que le malfaiteur a opéré entre dix heures et quinze heures trente. Et maintenant, transportons-nous sur les lieux du crime à la recherche d'indices.

Tout d'abord, elle voulait relever des empreintes digitales sur la jatte de crème, mais j'ai réussi à l'en empêcher : je ne voulais pas qu'elle gâche ce qui restait de crème au chocolat ! Ensuite, elle a tenté de repérer sur le carrelage les traces de pas du voleur. Mais la cuisine n'avait pas été nettoyée depuis une semaine, de sorte que le sol était noirci de plus d'empreintes qu'un hall de gare.

– Ça ne fait rien, m'a dit mamie, on va établir l'emploi du temps des suspects et, crois-moi, je finirai bien par mettre la main sur celui qui a fait le coup !

Elle a dit cela sur un ton si féroce que j'en ai eu froid dans le dos.

Elle a donc fait comparaître les « suspects », c'est-à-dire mon père et ma sœur, les seules personnes à avoir libre accès à la cuisine, en dehors de maman et moi. Anne, ma petite sœur, avait un solide alibi : elle était en excursion avec son club de danse et pouvait fournir une bonne trentaine de témoins.

L'interrogatoire de papa a été nettement plus intéressant. Il a d'abord prétendu avoir passé toute la journée au bureau. Mais quand mamie a saisi le téléphone pour appeler sa secrétaire, il a avoué qu'il avait annulé deux rendez-vous avec des clients pour aller pêcher avec son copain Marc. Il avait l'air d'un gamin pris en faute !

La plus ennuyée, cependant, c'était mamie : si tous ses suspects avaient un alibi, l'affaire se compliquait ! Mais elle n'avait pas dit son dernier mot.

– Suis-moi, m'a-t-elle ordonné, on va résoudre ce petit problème.

Nous sommes montés dans sa chambre. Là, elle a bourré une pipe et s'est mise à fumer en toussant à fendre l'âme.

– Maintenant, il faut réfléchir ; la solution est là ! a-t-elle proclamé en se frappant le crâne.

Moi, je n'ai rien dit. Je l'ai regardée réfléchir. Tout à coup, elle s'est levée d'un bond et s'est précipitée au salon. Et elle a pointé le doigt sur maman en criant :

– J'ai trouvé, c'est toi qui as mangé la crème au chocolat ! Oh, c'était bien joué : le coupable se faisant passer pour la victime, très fort, vraiment très fort! Mais tu n'avais pas compté sur mon flair, hein?

Hou! là, là! le drame que ça a déclenché! Maman a traité mamie de «Sherlock Holmes à la noix» et de «commissaire d'opérette». Finalement, mamie a dû s'excuser. Mais c'est surtout vis-à-vis de moi qu'elle était gênée: elle échouait lamentablement le jour même où elle voulait m'initier à sa méthode! Je lui ai dit qu'elle ne devait pas s'en faire, que c'était très bien comme ça.

Et c'est vrai, c'est très bien comme ça. Car le coupable, le voleur de crème au chocolat, je le connais, moi.

C'est moi.

# Mon père

Des fois, je dis : « Mon père, il voyage. Il est capitaine sur un pétrolier géant, de deux cents mètres de long, et il a fait trente-six fois le tour du monde. Quand j'aurai quinze ans, je partirai avec lui et je prendrai mon tour de quart, la nuit, dans le poste de navigation. »

Des fois aussi, je dis : « Mon père, il est agent secret, mais je n'ai pas le droit de vous le dire. Il pourchasse les terroristes à travers le monde entier et il parle directement avec le Président. Tous les deux, on a un code secret pour communiquer. »

Ou bien, ça dépend, je dis: «Mon père, il est mort. Il était guide de haute montagne, et il s'est sacrifié pour sauver un jeune garçon qui était tombé dans une crevasse. Il a réussi à le remonter à la surface, mais lui, il est mort. C'est un héros, il a eu une médaille, on l'a épinglée sur son cercueil. J'ai pleuré à ce moment-là.»

Mais parfois, plutôt, je dis: «Mon père, il est en prison. C'était le chef d'une bande, il cambriolait des banques. Mais il redonnait presque tout l'argent aux pauvres, tu sais, comme Robin des Bois, et il n'a jamais tué personne. Il a été trahi, c'est pour ça qu'on l'a pris, mais il s'évadera bientôt, tu peux être sûr, je le connais, mon père.»

Une fois, même, j'ai dit: «Mon père, c'est quelqu'un d'important, de très haut placé, très, très haut. C'est même lui l'homme le plus important de France, si vous voyez ce que je veux dire. Mais je ne peux pas en dire plus, vous comprenez, c'est un secret d'État, et puis il est déjà marié avec une autre femme, alors ma mère et moi, on le voit souvent, mais en cachette, parce que si ça se savait, ça ferait toute une affaire…»

Et puis, souvent, je ne dis rien. Parce que, mon père, je ne sais même pas qui c'est. Mais ça, quand même, je ne vais pas le dire.

# Accessoires

C'est une boutique, dans une rue peu fréquentée. À première vue, elle n'a rien d'extraordinaire. La devanture est plutôt moderne, avec une enseigne en néon qui clignote rouge et jaune: *Accessoires en tous genres.* Et l'enseigne ne ment pas, à en juger par la vitrine. Quel mélange! Une scie électrique est exposée à côté d'une paire d'après-ski; des stylos à encre, des peignes et des bombes de crème Chantilly entourent une console de jeux vidéo… Sur la porte, un écriteau avertit: *Vente exclusivement aux professionnels.*

Professionnels, oui, mais professionnels de quoi? Vous aimeriez savoir, vous aimeriez visiter? Eh bien, entrez, je vous ouvre la porte du magasin. Suivez-moi, je vais vous servir de guide.

Tournez ici, à droite, oui, dans cette rangée. Vous avez lu le panonceau: *Héros et héroïnes*? Sagement alignées sur les étagères, grandeur nature, ne semblent-elles pas réelles, toutes ces poupées de cire? Vous pouvez faire votre choix entre: une hôtesse de l'air; un président de club de football; une alpiniste; un enfant prodige qui a donné son premier récital de piano à six ans; un commissaire de police, et quelques dizaines d'autres.

Vous commencez à comprendre où vous êtes? Non? Alors, passez au rayon suivant: *Objets magiques*. Là, vous trouvez des télécommandes, des téléphones portables, des antennes paraboliques, mais aussi des moulins à café, des fers à friser, des pinces à linge, des effaceurs, et bien d'autres objets, tous soigneusement rangés et étiquetés. Au bout du rayon, une affiche publicitaire: *Pour tout achat d'une perceuse magique Miniflex, nous reprenons jusqu'à 200 F votre baguette magique, même hors d'usage.*

Vous y êtes, maintenant, n'est-ce pas ? Vous avez deviné, je pense, que ce magasin est réservé aux conteurs professionnels.

Eh oui, ces faiseurs d'histoires ont besoin d'accessoires pour renouveler leur imagination et moderniser leurs récits. Les bottes de sept lieues, les princes charmants transformés en crapauds, tout cela commence sérieusement à dater. Pour intéresser les lecteurs, les conteurs doivent maintenant remplacer les carrosses par des TGV, les dragons par des canons laser et les fées par des mannequins très décolletés. En un mot, ils sont condamnés à faire moderne.

Moi aussi, puisque j'écris des histoires, je me sers dans ce magasin. Tenez, au rayon *Transformations*, je prends une poubelle en plastique, le modèle bas de gamme. Au rayon *Objets magiques*, je choisis une gomme rouge et bleue : pas question de faire des folies, c'est une histoire bon marché que je veux écrire. Il me faut encore un héros, bien sûr. Et si je vous prenais, oui, vous ? Ça ne me coûtera pas grand-chose… Ne manque plus que le méchant, qui va jouer un sale tour au héros. Eh bien, ce sera moi, c'est le rôle que je préfère.

Bon, parfait, j'ai tout le matériel nécessaire. Allons-y. Floup! vous voilà transformé en poubelle de mauvaise qualité. Tant pis pour vous: vous n'aviez qu'à ne pas mettre le nez dans cette histoire. Débrouillez-vous pour vous tirer d'affaire. Je vous laisse la gomme bleue et rouge, paraît qu'elle est magique… Bonne chance!

Ah, j'oubliais: si vous croyez que le héros s'en sort toujours et que les contes finissent toujours bien, je suis désolé de vous détromper. Ça aussi, on l'a modernisé…

# Le tableau

**M**. Douybes était richissime, obèse et très vieux. Il fumait des cigares, cela va de soi, mais ce détail n'a aucune importance pour la suite de l'histoire.

Il possédait des tableaux de grand prix, des œuvres célèbres que les plus grands musées auraient souhaité présenter. Lui ne les montrait à personne. Il les conservait dans son musée privé qui occupait les trois étages supérieurs de l'immeuble dans lequel il habitait.

Parmi tous les tableaux de sa collection, le plus célèbre était le fameux *Cavalier noir* de Tarto

Sicabio. Le chef-d'œuvre du peintre, d'après les spécialistes, mais surtout un tableau entouré de mystère et d'effroi : tous ceux qui l'avaient possédé, en effet, étaient morts de mort violente. Cette malédiction qui semblait peser sur le tableau avait fait, curieusement, du *Cavalier noir* la peinture la plus chère du monde. Le vieux Douybes l'avait acquise, disait-on, à un prix exorbitant.

C'est sans doute pour cela que *Le Cavalier noir* était protégé plus étroitement qu'un chef d'État. Il était accroché dans une salle blindée dont seul M. Douybes connaissait le code d'accès. Pas d'autre tableau dans la pièce ; seul un dessin d'enfant était scotché sur le mur d'en face, un dessin aux couleurs hésitantes dont on identifiait mal le sujet : un singe, semblait-il, énorme et ricanant, un cigare au coin de la bouche, qui lançait derrière lui des cartes à jouer (ou étaient-ce des billets de banque ?). C'était le vieux Douybes lui-même qui avait accroché ce dessin d'un de ses petits-fils, un enfant de cinq ans à peine. Une façon pour lui de se moquer de Sicabio et de son *Cavalier noir*. Car même s'il avait dépensé une fortune pour l'acquérir, le vieillard n'aimait pas le tableau : il l'avait acheté par défi, pour prouver qu'il était l'homme le plus puissant du monde, et qu'il n'avait pas peur de la malédiction liée au tableau.

Un soir, quelques jours avant ses quatre-vingt-six ans, il pénétra dans la salle du *Cavalier noir*. Il venait rarement le voir, une ou deux fois par an, pas plus. Ce jour-là, étrangement, il avait pensé plusieurs fois au tableau ; plus que cela : il en avait été comme obsédé, et c'est poussé par une force irrésistible qu'il était monté dans la salle du musée pour le contempler.

Il s'assit sur un tabouret devant la toile, qui était de dimension moyenne, et colorée violemment de rouge, de violet et de vert cru. Pourquoi Sicabio l'avait-il intitulée *Le Cavalier noir* ? On distinguait bien dans l'entrelacs de couleurs une forme humaine, mais nullement celle d'un cheval. Alors, pourquoi *Cavalier* ? Et pourquoi *noir* ? C'était, une fois de plus, ce que se demandait le vieux Douybes, tassé sur son tabouret, intrigué malgré lui par la brutalité du tableau, par la violence des formes et des couleurs.

Soudain, il eut l'impression que le tableau bougeait. Non pas la toile ou le cadre, mais les couleurs et les formes, comme si elles prenaient vie. Il se raidit, attendit.

L'impression se dissipa presque aussitôt, le tableau retrouva son immobilité, et le vieil homme douta de ses sens.

Il guetta encore longtemps *Le Cavalier noir*. Mais celui-ci semblait perdre peu à peu de sa force, de sa violence. Il n'avait pas l'air si inquiétant, vraiment : au contraire, il était presque apaisant, une fois qu'on l'avait dompté.

Le vieux Douybes, cependant, n'était pas à l'aise. Il sentait une présence, une menace dans la pièce. Il était seul, pourtant, et *Le Cavalier noir* était vaincu, il en était certain maintenant. Il se leva de son tabouret et, lentement, tourna sur lui-même. Les murs étaient nus, comme d'habitude, hormis le singe grimaçant barbouillé par une main d'enfant.

Le vieil homme se rassit. Il n'était pas rassuré, malgré tout. Il pensa à partir. Quelque chose le retint.

Trois heures plus tard, quand le système de sécurité déclencha l'ouverture automatique des portes, on découvrit le vieux Douybes étendu, mort, devant *Le Cavalier noir*, une liasse de billets de banque dans la bouche. Sur le mur d'en face, le dessin d'enfant avait disparu. Mais cela, personne ne le remarqua, et la réputation maléfique du tableau de Sicabio grandit encore. Sa valeur aussi.

# Calculs

**D**imanche matin. Aurélie fait ses comptes de la semaine.

Lundi, elle a donné une gomme à Christopher, deux copies blanches à Jérémy, un crayon (assez usé) à Benjamin. François lui a donné la moitié de son pain au chocolat et Grégory un baiser sur la joue (pendant le cours d'anglais).

Mardi, elle a prêté son stylo plume à Jérémy et son cahier d'orthographe à François (pour qu'il recopie l'exercice qu'il n'avait pas fait). Elle a donné un bonbon à Christopher (mais c'était un bonbon au poivre). Benjamin lui a donné une cartouche d'encre bleue et Grégory un chewing-gum à la fraise.

Mercredi, rien. Elle a passé la journée chez tante Nicole.

Jeudi, elle a donné trois timbres du Liban à François et un coup de pied à Benjamin (pendant le cours de musique). Elle a prêté sa carte de téléphone à Jérémy et son compas à Grégory (pour qu'il pique les fesses de Raphaëlle). Christopher lui a donné un billet de cinq dollars.

Vendredi, elle a rendu à Benjamin sa cartouche d'encre bleue. Elle a donné à Grégory une photo de chimpanzé (sur lequel elle a écrit : « Tiens, voilà ton frère ») et quatre carrés de chocolat (au lait) à François. Christopher lui a donné un serpent (en plastique, très bien imité) et Jérémy une bande dessinée (mais elle croit bien qu'il manque une page).

Samedi, rien. Il n'y avait pas école.

Maintenant, elle calcule. Sachant qu'un chewing-gum à la fraise vaut trois carrés de chocolat (au lait) et un demi-bonbon au poivre, qu'un billet de cinq dollars vaut six petits pains, qu'un coup de pied vaut sept cartouches d'encre bleue et deux baisers, qu'une bande dessinée (complète) vaut cinquante-deux copies blanches, un serpent (en plastique, très bien imité) et dix-huit gommes, etc., qui de Benjamin, François, Grégory et Christopher l'aime le plus?

Et qui, elle, aime-t-elle le plus?

# Histoire impossible

Après l'école, je suis rentré chez moi par le chemin habituel. J'ai pris la bonne rue, je suis sûr, juste après la pâtisserie Fiévet. Mais quand je suis arrivé chez nous, au numéro 13, il n'y avait plus rien, plus de maison, rien qu'un trou, très profond, et comme des bulles énormes s'en échappaient.

Quand j'ai ouvert la porte, j'ai poussé un cri, horrifié. Dans le couloir, des centaines de serpents sifflaient, tête dressée, gueule ouverte : un tapis rampant de reptiles menaçants.

Je suis allé directement à la cuisine. J'ai ouvert le Frigidaire. Atroce ! Ma grande sœur Alice y était enfermée, pliée en quatre et congelée, et elle me regardait méchamment de ses grands yeux de poisson mort.

J'ai pris un yaourt à la fraise. Ce n'était pas du yaourt, mais du sang épais de crocodile, avec des morceaux de chair fraîche qui baignaient dedans.

J'ai jeté le pot vide à la poubelle et je suis monté dans ma chambre. L'escalier s'est écroulé et j'ai plongé dans le vide. Tandis que je sombrais, des morts vivants me griffaient et me pinçaient en ricanant.

J'ai fait mes exercices de math. Facile. Et j'ai commencé la rédaction pour jeudi. Mais trois vampires se sont jetés sur moi et ont enfoncé leurs crocs dans ma gorge, des fourmis géantes m'ont arraché la peau, des corbeaux fous m'ont picoré le dos et un homme affreux, au visage couvert de pustules puantes, m'a découpé en rondelles avec une scie électrique mal aiguisée.

Alors, fatigué, je suis descendu au salon, je me suis confortablement installé dans mon fauteuil préféré, et j'ai regardé un film d'horreur pour me changer les idées.

# Cochon charmant

L'histoire avait commencé comme un conte de fées. D'ailleurs, un des personnages principaux était une fée : la fée Erika, marraine de la princesse Sophie de Nomaco. Quand Sophie eut dix-huit ans, Erika, afin de trouver un époux à sa filleule, organisa un grand bal auquel elle convia tous les princes en âge de se marier. La jeune princesse remarqua très vite un prince vraiment charmant, beau comme un TGV et bronzé comme une baguette bien cuite. C'était le prince Amaury, héritier d'un tout petit royaume au nord du Groenland. Mais le prince Amaury, lui, ne regarda même pas Sophie. Il ne vit que la fée Erika, dont il tomba instantanément fou amoureux. Et elle, qui savait pourtant que les fées n'ont pas le droit de se marier, ni même d'avoir des amants, ne put résister au charme du charmant Amaury.

Et ce qui n'aurait pas dû arriver arriva : le prince et la fée s'aimèrent, et Erika se retrouva enceinte. Ils étaient tout contents, pardi, mais ça ne dura pas. Sophie, cette teigne, alla les dénoncer auprès de la chef d'Erika, la reine des fées… La chef, furieuse, prit des sanctions immédiates : elle licencia immédiatement Erika, la priva de tous ses pouvoirs magiques et la condamna à vivre dans un pavillon de banlieue. Quant au prince Amaury, elle le transforma sur-le-champ en cochon. Eh oui, en cochon !

Environ neuf mois plus tard, Erika mit au monde un garçon, qu'elle prénomma Édouard. Le gamin grandit, sans histoire. C'était un gosse tranquille, bon élève, mais un peu renfermé. Il semblait toujours préoccupé. Ce qui le travaillait, eh bien, c'était le cochon qui vivait chez eux. Il ne comprenait pas pourquoi sa mère lui accordait tant d'attention, à ce cochon, pourquoi elle le laissait regarder la télévision avec eux, pourquoi elle lui préparait du riz au lait et lui tricotait pour Noël une écharpe ou un bonnet. Pour tout dire, Édouard était jaloux du cochon. Quand sa mère n'était pas là, il se glissait dans la cabane climatisée de l'animal avec la ferme intention de lui jouer un sale tour. Mais le cochon trottait vers lui dès qu'il entrait, se frottait contre ses jambes en grognant gentiment, et ces démonstrations d'amitié, chaque fois, le désarmaient.

Le jour de son douzième anniversaire, Erika avoua la vérité à son fils. Ce fut un choc pour le jeune garçon. Il découvrait tout à trac qu'il avait un père (ce dont il se doutait quand même un peu) et que ce père était un cochon. Bon, d'accord, un prince transformé en cochon. Mais en fin de compte, cela ne changeait pas grand-chose.

Il lui fallut quelques mois pour digérer la nouvelle. Ensuite, il n'eut plus qu'une pensée : redonner au cochon, c'est-à-dire à son père, sa forme primitive. Ce n'était pas une mince affaire :

sa mère avait perdu tous ses pouvoirs surnaturels, il ne devait donc compter que sur lui-même.

Il entreprit aussitôt des études de prestidigitateur-magicien-illusionniste. Il s'instruisit auprès des plus grands noms de la profession, il s'entraîna des années entières, avec acharnement, il apprit à transformer des foulards en colombes, des carottes en lapins, à découper proprement des jeunes filles, à faire disparaître et reparaître des autruches, des concierges et des hélicoptères.

Mais jamais il ne put rendre à son père sa forme humaine. Tout ce qu'il put faire, c'est transformer sa mère en truie. Et encore, ne le fit-il pas exprès. Mais après tout, c'est une fin assez heureuse pour une histoire d'amour, vous ne pensez pas ? La fée Erika et le prince Amaury sont maintenant réunis, et leur fils, ému et un peu embarrassé, les regarde folâtrer.

# Métro

**M**oi, je ne voulais pas monter dans cette rame. Quand j'ai vu les wagons archibondés, j'ai proposé à papa d'attendre le prochain métro. Il a haussé les épaules et m'a poussé devant lui. D'autres voyageurs ont réussi à s'engouffrer avec nous, à s'encastrer entre d'autres voyageurs tassés les uns contre les autres.

J'étais coincé entre un rocker de banlieue, pantalon et blouson de cuir, et une religieuse qui sentait les bonbons à l'anis. J'étouffais. J'avais l'impression d'être découpé en morceaux : bras, jambes, tête, tronc, plus rien ne tenait ensemble.

À la station suivante, le rocker, pour sortir, a plongé dans la masse de corps entremêlés qui l'emprisonnait. Mon pull s'est accroché à un clou de sa ceinture et j'ai dû résister pour qu'il ne m'entraîne pas tout entier avec lui. De nouveaux voyageurs se sont rués dans le wagon, et j'ai senti mes poumons se vider comme un ballon qu'on presse entre ses mains. Le visage écrasé contre un dos anonyme, je ne voyais plus rien.

Un peu plus tard, j'ai entendu la voix de mon père. Il disait :

— Prépare-toi, on descend à la prochaine.

J'ai tenté de me délivrer. Mais je ne retrouvais plus mes membres. Impossible de dégager un bras, de bouger une jambe, de prendre appui sur un pied. J'ai réussi seulement à tourner la tête, à reconnaître à sa parka verte mon père qui se frayait un passage, à le voir s'éloigner sur le quai sans se retourner, sans s'assurer que je le suivais. J'ai tenté de l'appeler, mais une nouvelle vague humaine m'a submergé, m'a replongé dans le noir et le silence.

Je ne sais pas combien de temps a duré le trajet. Très vite, j'ai cessé de compter les stations, très vite j'ai abandonné l'espoir de me délivrer de la mêlée. J'ai senti pourtant autour de moi la pression se détendre, l'air circuler plus librement et j'ai compris qu'on approchait de la tête de ligne. D'ailleurs un haut-parleur a annoncé :

– Porte d'Orléans. Terminus. Tout le monde descend.

Descendre, oui mais comment ? J'avais l'impression que je flottais, que j'étais devenu si léger que plus jamais je ne pourrais redescendre jusqu'au sol. Je me suis concentré désespérément, j'ai tendu toute ma volonté, mais impossible de bouger, d'esquisser le moindre mouvement.

Et puis des pas se sont approchés. J'ai pensé : « Un agent qui vient contrôler que les wagons sont vides ; il va m'aider à sortir. » La porte s'est ouverte. Une voix a constaté :

– Personne.

La porte s'est refermée.

C'est alors que j'ai compris que je n'existais plus.

# Amour, toujours…

C'était un 14 février, jour de la Saint-Valentin qui est, comme chacun sait, la fête des amoureux. Dans leur chambre, ma sœur Nadia et son petit ami Fabien roucoulaient encore plus fort que d'habitude.

Ça donnait à peu près ceci :

FABIEN : Nadia, ma colombe, ma caille, ma poulette, ma petite friandise, ma glace à la vanille et aux raisins gonflés de rhum de la Jamaïque, ma confiture de myrtilles pur fruit pur sucre, ma mousse à raser mentholée, ma table à repasser super-performante, tu peux me passer mes chaussettes qui sont juste à côté de toi ?

NADIA : Fabien, mon chou, mon canard en sucre, mon chocolat au lait, mon yaourt à la fraise, mon camembert 45 % de matière grasse, mon dentifrice ultra-protection, mon baladeur programmable, mon congélateur adoré deux cent vingt-cinq litres, viens les chercher toi-même !

Tout attendri, je n'en perdais pas une miette, notant un à un tous ces mots d'amour sur un carnet à spirale : qui sait, pensais-je, cela pourrait me servir un jour, bientôt peut-être…

Et ça continuait.

FABIEN : Ma violette adorée, ma croquette au bœuf pour chien, ma petite farine de blé type 55, ma cafetière filtre programmable, ma jolie galette de Bretagne pur beurre, tu vois bien que je suis tout mouillé et que je vais dégueulasser la moquette, allez, file-moi mes chaussettes, tu vas pas en crever !

NADIA : Mon petit lot de sacs-poubelle, mon grille-pain à thermostat réglable, mon mignon ravioli à la sauce tomate, mon casque hyperfréquence sans fil, mon gros sachet de frites précuites surgelées, compte là-dessus et bois de l'eau fraîche, je suis pas ta bonne, alors dém… -toi.

À partir de là, ça a complètement dérapé. J'ai arrêté de noter, car le vocabulaire que les deux amoureux s'envoyaient à la figure, je le connaissais par cœur.

J'étais un petit déçu, quand même, mais rassuré aussi. Car j'ai pensé: finalement, parler d'amour, ce n'est pas si compliqué que ça.

# Poubelle

Oui, c'est vrai, je le reconnais, j'ai trop d'imagination, et les histoires que je raconte, presque toujours, c'est moi qui les invente. Mais pas celle-là. Non, celle-là, elle est tellement bizarre, tellement mal fichue qu'elle est forcément vraie.

Elle commence par une scène très banale, qui se répète chez nous à peu près tous les soirs : ma mère s'aperçoit que la poubelle est pleine juste au moment où elle est en train d'éplucher des tomates, mon père se terre dans son bureau pour ne pas entendre les appels à l'aide de sa chère épouse, et c'est encore moi qui suis de corvée. Comme si c'était amusant de traverser le parking

souterrain, à peine éclairé, jusqu'au local à poubelles.

Ce soir-là, en plus, je m'en souviens bien, il
faisait atrocement froid, et moi, comme un imbécile, j'étais descendu avec juste un polo sur le dos.
J'ai couru jusqu'au local à poubelles, j'ai posé la
poubelle pour pouvoir ouvrir la porte qui est
affreusement lourde, j'ai tâtonné sur ma droite
pour trouver le minuteur et je suis entré en faisant
bien attention où je mettais les pieds car, franchement, les gens, ils sont dég… oûtants, ils jettent
leurs saletés n'importe comment, ce qui fait que
vous marchez sur un tapis d'ordures.

Bon, bref, je soulève le couvercle orange de la
première benne à ordures : zut, pleine à ras bord.
En marchant sur la pointe des pieds, je vais jusqu'à
la deuxième benne : archipleine, elle aussi. Ça,
c'était vraiment étonnant, ce n'était encore jamais
arrivé.

Je me dirige donc vers la troisième benne, celle
qu'on n'utilise jamais, je soulève le couvercle, qui
n'était pas entièrement fermé, et là, stupeur !

j'entends un grognement et, dans la pénombre, j'aperçois quelque chose qui bouge.

Panique! Je remonte en courant chez moi, sans lâcher ma poubelle, et me fichant pas mal de patauger dans les détritus.

– Papa, maman, je crie en arrivant dans l'appartement, il y a une bête dans la benne à ordures!

– Benjamin, grogne papa, ça suffit, tes histoires à dormir debout!

– Benjamin, se lamente maman, tu n'es vraiment pas drôle.

– Mais je vous jure, c'est vrai, je n'invente pas, cette fois!

Pas de réponse: papa se replonge dans son journal, maman augmente le son de la télévision. J'attends encore un instant, et puis je me décide. Je prends une lampe torche, j'enfile un pull, j'emporte aussi une demi-baguette, au cas où l'animal aurait faim, et je redescends dans le local à poubelles.

J'ai un peu la frousse, je dois dire, mais je me suis inventé tout un scénario pour me rassurer: c'est un chien abandonné qui s'est réfugié dans la benne à ordures, il appartient à une vieille dame très riche qui l'aime beaucoup, mais son fils qui veut hériter de la fortune a capturé le chien pour faire mourir la vieille dame de chagrin, etc., etc.

Je m'approche donc de la benne, je soulève le couvercle, j'allume ma lampe torche… et je me trouve affreusement bête : ce n'est pas un animal qui a trouvé refuge dans la benne, mais un homme. Un homme d'une trentaine d'années, peut-être, aux cheveux coupés court, le visage marqué par une cicatrice sur la joue droite. Il me regarde, les yeux encore troubles de sommeil, et je suis tellement gêné que je ne pense même pas à avoir peur.

– Pardon, je bredouille, je vous demande pardon.

Et pour m'excuser de l'avoir dérangé, je lui tends le morceau de pain. Puis, incapable de rien dire, je me sauve en courant.

En grimpant les escaliers, j'ai le temps de réfléchir. Il faut faire quelque chose, je me dis, il faut absolument faire quelque chose! Tout énervé, je me précipite vers maman en rentrant dans l'appartement.

–Tu sais, je m'écrie, c'est pas un animal dans la benne à ordures, c'est un homme!

Maman baisse le son de la télé et me regarde. Un regard lourd, exaspéré:

–Benjamin, ça suffit maintenant, tu racontes n'importe quoi...

–Mais, maman, je te jure...

J'insiste, j'affirme, je promets, j'appelle mon père à la rescousse, et finalement je réussis à les convaincre. Tous les trois, on descend au sous-sol, on pénètre dans le local à poubelles. Le couvercle de la troisième benne à ordures est grand ouvert. On s'avance. La benne est vide, l'homme est parti. Par terre, j'aperçois le morceau de pain que je lui avais laissé.

Colère des parents. Je n'ai rien répondu. J'ai à peine entendu. Des mots: délire, affabulation, maladie, psychologue... Et puis: «Tu n'as pas honte de mentir comme ça?»

Si, j'avais honte. J'avais honte parce que c'était la vérité. Et parce que, tout d'un coup, je comprenais pourquoi je n'aime pas la vérité.

# Qui suis-je?

**7** heures (maman):

– Allez, ma petite marmotte, il est l'heure de se lever.

7 h 30 (papa):

– Espèce de cochon, tu ne pouvais pas faire attention! J'ai maintenant plein de chocolat sur mon pantalon!

9 h 26 (M. Loriot, mon professeur de math):

– Laurent, petit singe, si tu crois que je ne te vois pas faire des grimaces à Karim!

10 h 04 (Valérie):

– Fiche le camp, face de rat, je ne te parle plus.

12 h 11 (grand-mère):

– Alors, mon biquet, c'était comment l'école, ce matin?

14 h 42 (M. Budus, professeur d'EPS):

– Mais bouge-toi, espèce d'éléphant, c'est un sprint, pas une course d'escargots!

15 h 06 (Bruno, en cours d'histoire-géo):

– File-moi ta feuille, j'ai pas appris ma leçon! Oh… sale vache!

17 h 18 (encore grand-mère):

– Eh bien, mon lapin, pas trop dur, cet après-midi?

18 h 30. Je suis à la table de la cuisine, un cahier ouvert devant moi. J'ai un dessin à faire pour demain. Sujet: *Dessinez votre autoportrait.*

Ça ne va pas être facile, je crains.

# Tentation

Ça ne finira donc jamais? Depuis combien de temps est-on à table? Deux heures? Trois heures? Les soixante-dix ans de grand-père, comme c'est intéressant! S'il y avait encore des enfants, mais non, il n'y a que moi, et mes deux cousines, des bébés de six ans.

Je ne sais plus quoi faire pour me désennuyer. Alors j'imagine. On vient de poser le plateau de fromages sur la table. Je prends un yaourt. En face de moi, ma tante Isabelle parle, parle, parle… Voyons, si je plongeais (j'imagine, bien sûr, je ne fais qu'imaginer), si je plongeais une cuillère à soupe dans le pot de yaourt… Je la pose en équilibre sur le porte-couteau, je donne un grand coup de poing sur le manche et… plaf, en plein dans le décolleté! J'imagine, bien sûr, j'imagine…

Mon Dieu, quel scandale ça ferait! «Hugo! Hugo!» gémirait maman, à moitié suffoquée. «Mais il est cinglé, ce gosse!» hurlerait papa. Voyons, je m'en tirerais à combien? Huit jours de privation de sorties, pas d'argent de poche pendant deux mois, corvée de vaisselle à perpétuité…

Oui, mais j'imagine la tête de tante Isabelle. De longs ruisseaux blancs, partout, sur la robe, la poitrine, dans la bouche, les cheveux… Ah, ça la fera taire, pour le coup! «Bloub, bloub, bloub», c'est tout ce qu'elle pourra dire, en se secouant comme une noyée qu'on vient de repêcher. J'imagine…

Mais qu'est-ce que je fais avec cette cuillère à soupe remplie de yaourt? Attention de ne rien renverser sur la nappe. Là, je pose la cuillère en équilibre sur le porte-couteau. Non, je n'ai pas le droit d'y penser! Et cette imbécile en face de moi qui parle, qui parle, et qui se penche en avant, offrant au regard son décolleté plongeant… Non!

N'oublie pas : pas d'argent de poche pendant deux mois, corvée de vaisselle à perpétuité…

Trop tard ! Un coup de poing sur le manche de la cuillère et un jet de yaourt éclate sur le front, les yeux, la bouche de tante Isabelle, puis se répand, dégoulinant en longs ruisseaux hésitants sur le menton, le cou, la poitrine… Un grand silence, puis des cris perçants…

Tentation. Je n'ai pas résisté.

# La main

Leïla est assise sur son lit. Elle regarde la nuit emplir sa chambre peu à peu. Elle s'étonne de la voir ramper, froide et cruelle, sur le plancher, sur les murs. Dehors, la nuit est vivante, traversée de bruits, de lumières et d'odeurs. Ici, à l'intérieur, elle est muette et noire comme un drap mort.

Leïla frissonne quand elle sent la nuit s'enrouler autour de ses pieds, de ses genoux, puis monter, monter encore… Elle pourrait se lever, allumer la lumière, mais c'est plus fort qu'elle, quelque chose la paralyse, la cloue sur son lit, assise, mains jointes, le dos raide. Sur le bureau, les aiguilles phosphorescentes du réveil marquent l'heure : six heures cinq. Plus que vingt-cinq minutes, au pire.

C'est quand même long. Leïla a l'impression que sa chambre rétrécit et l'emprisonne. Elle fixe le mur en face d'elle et la tache de lumière pâle et trouble qu'y découpe la fenêtre. Tout à coup, une ombre griffue glisse en tournoyant sur le mur, dans un mouvement hésitant et inquiet.

« C'est une feuille de platane, se dit Leïla. Je n'ai pas peur. »

L'ombre disparaît un instant. Puis réapparaît, plus grande, plus lente. On dirait qu'elle tâtonne le long du mur, cherchant une proie. « C'est une feuille », répète Leïla. Mais elle sait bien que ce n'est pas vrai, elle voit bien que c'est une main qui tend ses doigts pointus, prête à les resserrer autour de son cou trop fragile, prête à les planter dans son cœur trop vibrant.

Sur le bureau, le réveil indique six heures seize. « Mon Dieu, pense Leïla, pourvu qu'il n'y ait pas d'embouteillage ce soir ! »

Soudain, le carré de lumière sur le mur s'éteint. La nuit s'abat sur la chambre entière. Leïla, d'instinct, se plaque contre le mur, souffle coupé. Neuf minutes seulement. Mais elle sait maintenant qu'elle ne tiendra pas aussi longtemps. Elle se résigne, elle est prête à avouer sa défaite, elle ouvre la bouche pour crier à la nuit qu'elle se rend, qu'elle ne se défend plus, que la main d'ombre peut l'emporter tout entière…

Mais au dernier moment, alors que déjà un froid de plomb se coule dans chaque pli de sa peau, un bruit métallique brise net l'épouvante, le bruit d'une clé qui tourne dans la serrure, et l'éclat de voix animées, d'un coup, repousse la nuit.

Des pas dans le couloir, la porte s'ouvre, et:

– Mais, Leïla, qu'est-ce que tu fais dans le noir? Pourquoi n'as-tu pas allumé?

Leïla regarde la silhouette de sa mère découpée dans la lumière.

– Je jouais, maman, dit-elle.

Et elle ajoute, tout bas, comme pour elle-même:

– J'ai gagné.

# Les mouches

Grand-mère n'aime pas les mouches. Moi, je n'aime pas grand-mère.

Elle les chasse dans toute la maison avec une tapette en plastique. Tap, tap! tuées, les mouches. Elle l'a toujours dans la poche de son tablier. Prête à dégainer, comme un cow-boy son revolver.

Si une mouche se pose sur ma tête ou mon épaule, paf! grand-mère l'écrase d'un coup de tapette. Ça me fait mal.

Ça la fait rire.

Il y a aussi les granulés jaunes. Elle les verse dans des soucoupes qu'elle place dans chaque pièce, près des fenêtres. C'est du poison. Ça attire les

mouches, elles viennent goûter et elles meurent.
Mais pas tout de suite. Elles souffrent longtemps
en agitant les ailes désespérément.

Grand-mère, ça l'amuse. Elle les regarde
mourir et elle rit.

– Bien fait, charognes !

Un jour, elle a laissé tomber des granules empoi-
sonnés dans mon café au lait. Je suis sûre qu'elle l'a
fait exprès.

Parfois, il y a une mouche qui résiste, qui ne
veut pas mourir. Grand-mère, ça la rend folle. Elle
prend ce qu'elle a sous la main, la tapette, un torchon, un journal, et elle frappe, frappe. Et elle crie :

– Tiens, tiens, je t'aurai, sale bête !

Et elle l'a, ça ne rate pas. Pauvre petite bête.

J'aimerais bien faire pareil.

Avec grand-mère.

# Machine à laver

De nouveau elle était punie. De nouveau son père l'avait enfermée, sans lumière, dans la salle de bains. Parce qu'elle n'avait pas été gentille. Parce qu'elle avait refusé de faire ce qu'il demandait.

Dans la salle de bains, étrangement, Léa se sentait en sécurité. Elle n'avait pas peur du noir. Et puis elle n'était pas seule. Il y avait la machine à laver. Elle tournait à son rythme, ronronnait : flaf ! flaf ! flaf ! – silence – flaf ! flaf ! flaf ! Léa se serra contre la machine et colla son oreille contre le hublot. D'abord, elle se laissa bercer par la chanson du tambour ballottant le linge en tous sens. Et puis, sans qu'elle s'en rende vraiment compte, les flonflons, à son oreille, devinrent des mots, des mots qu'elle connaissait : « Je lave, tu laves, elle lave – silence – nous lavons, vous lavez, elles lavent. »

« Tiens, se dit Léa, la machine révise ses conjugaisons. »

Elle écouta attentivement. Mais la machine ne variait pas : « Je lave, tu laves… » Elle eut l'idée de changer de programme, de passer de « Lavage » à « Essorage ». La machine, d'un coup, s'emballa, et se lança dans un rap accéléré dont Léa, tout d'abord, ne comprit pas les paroles. Mais, repérant un mot, puis deux, elle reconnut bientôt la rengaine : « Quatre fois trois douze, cinq fois trois quinze… » La machine récitait la table de multiplication. Pas très passionnant.

Léa essaya les autres programmes. « Rinçage » : la machine rabâchait des règles d'orthographe. « Lavage délicat » : elle répétait les grandes dates de l'Histoire de France. « Prélavage » : elle marmonnait des prières en latin, puis tout à coup, sans transition, lâchait des chapelets d'injures et de gros mots.

«Tiens, se dit Léa, ça commence à devenir intéressant.»

Elle allait enclencher le dernier programme,
«Laine et soie», quand son père vint la délivrer.
Prudente, elle décrocha son anorak et quitta l'appartement. Dans le centre commercial, au pied de
l'immeuble, il y avait une laverie. Elle resta longtemps, le front appuyé contre la vitre, à regarder
tourner les machines à laver, mais elle n'entra pas.
Quand la nuit commença à tomber, quand elle
fut certaine que son père était parti au bistrot
retrouver ses copains, elle rentra chez elle.

Elle courut à la salle de bains et, sans même
penser à allumer la lumière, elle mit en marche la
machine à laver sur le programme «Laine et soie».
Elle n'entendit d'abord qu'un ronron apaisant.
Puis, très distinctement, elle reconnut son pré-
nom. «Lé-a-Lé-a-Lé-a.» Elle retint son souffle.
Alors, par trois fois, la machine prononça dans
une langue inconnue et rythmée un message que
Léa apprit par cœur.

Son père rentra peu après. Il avait ce regard avide et honteux qui toujours la terrorisait. Mais plus ce soir : quand il s'approcha pour lui saisir les poignets, elle prononça à mi-voix les mots que lui avait appris la machine et dont elle avait retenu exactement le rythme et la sonorité.

Elle sentit les mains qui l'emprisonnaient desserrer leur étreinte, et brusquement, lourdement, son père s'écroula à ses pieds. Quand elle baissa les yeux, il n'y avait plus au sol qu'un grand tas de linge. Elle le roula en boule, l'emporta à la salle de bains, le bourra dans la machine. Elle choisit le programme complet : prélavage, lavage, Javel, adoucissant, essorage… Quand ce fut terminé, elle mit le linge à sécher, puis alla se coucher.

Le lendemain, quand Léa se leva, son père était parti et la machine à laver en panne, définitivement. Mais la fillette ne craignait plus rien : elle savait, maintenant, que tout se terminerait bien.

# Chocolat

Il pousse la porte de la salle à manger, entre, va tout droit jusqu'au buffet. C'est là que sont rangés les chocolats auxquels il n'a pas le droit de toucher. Il ouvre le buffet, tend la main vers la boîte rouge et or, saisit un chocolat au hasard… Et puis non, il renonce, déçu, et retourne dans sa chambre.

Dix minutes plus tard, nouvel essai. Cette fois, le parquet du couloir craque un peu sous ses pas quand il passe devant l'armoire à chaussures. Il tend l'oreille, mais rien ne vient de la cuisine où se tient sa mère. La porte du buffet grince quand il l'ouvre et, en prenant la boîte de chocolats, sans le vouloir, il bouscule une tasse à café qui s'écroule sur une pile d'assiettes à dessert. Quel bruit ! C'est comme un fracas de cymbales. Le cœur lui manque : cette fois, il est pris. Une voix, là-bas, dans la cuisine, appelle. Pendant quelques secondes, il retient sa respiration. Mais non, il s'est trompé, ce n'était que la radio, sans doute. Il hésite un instant, puis repose, quand même, la boîte de chocolats. Ce serait trop facile, ce serait de la triche.

La troisième fois est la bonne. Il glisse sur le parquet trop ciré du couloir, et tombe. Aussitôt, dominant le bruit de la radio, s'élève la voix de sa mère, coupante, cinglante :

– C'est toi, Julien ?

Bien sûr, il ne répond pas. Cœur battant, il se faufile, à quatre pattes, dans la salle à manger. Va-t-elle venir ? Il en tremble, il l'espère. Oui, il entend son pas. Elle appelle encore :

– Julien, si je t'y prends, gare à toi !

Elle approche. Il se colle contre le mur. Elle ouvre la porte. Il se mord les lèvres, pour s'empêcher de crier. Elle fait un pas. Il est pris, elle l'a vu. Mais non, sauvé. Elle a à peine regardé, s'est retirée, est retournée à la cuisine en soupirant. Il attend quelques secondes, la main sur son cœur prêt à éclater, puis respire à fond. Enfin, d'un pas décidé, il avance jusqu'au buffet, plonge la main dans la boîte rouge et or, saisit un chocolat et le mange.

Il l'a gagné, celui-là, bien gagné.

# Pause

– Jérémie, viens jouer avec moi!

– Jérémie, j'ai besoin d'un coup de main pour décrocher le lustre du salon!

– Jérémie, tu as fait tes devoirs? Viens me montrer ton cahier de textes!

C'est tous les soirs la même chanson. Avec, dans l'ordre, les voix de:

– ma sœur Aline;

– mon père;

– ma mère.

Juste quand je voudrais souffler un peu, lire tranquillement, ranger ma collection de tickets d'autobus, ou tout bêtement contempler mes doigts de pied. Mais non, pas moyen : papa, maman, petite sœur, si je jouais au jeu des sept familles, sûr que je gagnerais.

– Jérémie… Jérémie… Jérémie…

Ils insistent. Eh bien, tant pis pour eux, je vais les effacer, les éliminer…

Pour ma sœur Aline, c'est très simple. Je vais dans sa chambre. Je lui demande à quoi elle veut jouer. À faire des bulles de savon. Parfait, elle me facilite le travail. Je prends le tube d'eau savonneuse, souffle un premier chapelet de bulles, puis m'applique à gonfler une bulle énorme, ronde comme un ballon. Aline écarquille les yeux, émerveillée. À voix basse, je prononce la formule secrète, la formule magique, la formule efface-sœur. Dzziouf! la bulle emprisonne Aline. Vite, j'ouvre la fenêtre. Le vent emporte la bulle… Bon voyage, petite sœur.

Avec papa, c'est à peine plus compliqué. Je file à la cuisine. Je sors une bouteille de bière du réfrigérateur, la décapsule, prépare un verre et des biscuits apéritif, et vais porter le tout au salon. J'allume la télévision. Par chance, il y a un match de basket. Il ne résistera pas. J'appelle :

— Papa, viens voir, vite !

Il grogne, mais finit par arriver. L'écran aussitôt le fascine. Il avance comme attiré par un aimant. Je lui glisse le verre de bière dans la main, le pousse dans un fauteuil, et puis prononce la formule secrète, la formule magique, la formule zappe-papa. Vlaapp ! voilà mon papa avalé par l'écran. Il s'agite, cogne à la petite lucarne. Vite, je débranche la télévision. Finie, l'émission. Disparu, mon petit papa.

Avec maman, il faut un peu ruser. J'ouvre le placard de l'entrée et je l'appelle :

— Maman, maman, il y a une araignée au fond du placard !

Ça ne rate pas. Maman se précipite, une balayette dans une main, une bombe insecticide dans l'autre.

— Où ça ? Où ça ? interroge-t-elle.

L'air faussement effrayé, j'indique du geste le fond du placard. Maman baisse la tête et se glisse entre imperméables et anoraks pour exterminer l'invisible bestiole. Aussitôt, je referme la porte coulissante et prononce la formule secrète, la formule magique, la formule range-maman. J'entends quelques vagues grognements derrière la porte du placard, puis plus rien. Au revoir, petite maman, bonne chasse !

Et voilà. Avec un peu de chance, j'ai une demi-heure devant moi, trente minutes pour souffler un peu, lire tranquillement ou, tout bêtement, contempler mes doigts de pied.

Parce qu'il ne faut pas rêver, ma formule magique, elle n'est efficace qu'un moment. La petite sœur effacée, le papa zappé et la maman rangée finissent toujours par réapparaître. Et pas besoin de formule ni de magie pour ça.

Au fait, si ma formule secrète vous intéresse, la voici. À vous de la décrypter :
« !IMAƎINƎ »

# Baignoire

Extérieurement, elle était très banale, la baignoire de la chambre 404 de l'hôtel des Bains, rue Delambre, à Paris. Extérieurement, oui, mais pas intérieurement…

Figurez-vous qu'une fois par an, le 12 octobre exactement, un drame se produisait dans la chambre 404 de l'hôtel des Bains. Un drame tout simple, vraiment tout simple : un client arrive à l'hôtel, on lui donne la clé de la chambre 404, il y entre, et le lendemain, quand on commence à s'inquiéter, on pénètre dans la chambre, on retrouve la valise et tous les vêtements du client, mais de lui, plus rien, plus une trace. Le drame se produisit une fois, deux fois, trois fois, quatre fois… et toujours un 12 octobre! Mais il fallut attendre la huitième fois pour qu'un inspecteur un peu plus futé que les autres s'aperçoive de la coïncidence.

Oui, mais la baignoire, me direz-vous, qu'avait-elle à voir là-dedans?

Comment, vous n'avez pas deviné? C'est elle, cette baignoire extérieurement si banale, qui dévorait ses clients. Une fois par an, le 12 octobre exactement (c'était peut-être son anniversaire), elle avait une petite faim. Alors, elle attendait que le locataire de la chambre 404 se déshabille, entre dans son bain, se lave, puis tire la bonde pour faire écouler l'eau.

Mais ce n'était pas seulement l'eau qui s'écoulait! C'était le malheureux (ou la malheureuse) locataire qui s'écoulait tout entier, aspiré puis broyé par l'abominable baignoire. Elle se régalait, la gourmande, et elle en faisait du bruit en suçant, croquant, dévorant, déchiquetant son innocente victime! Puis, rassasiée, elle entamait paisiblement la digestion. Et ça durait un an…

Horrible, n'est-ce pas ? Ah oui, je sais, vous allez me demander comment on a démasqué la baignoire. Eh bien, j'avoue : c'est moi qui l'ai dénoncée ! J'avais tout simplement envie de terminer cette histoire.

P.-S. : Cette histoire a l'air complètement idiote. Pourtant, elle a une morale très sérieuse. Écoutez bien :

« Petits enfants, quand vient le 12 octobre, n'entrez pas dans les baignoires que vous ne connaissez pas ! En cas de doute, laissez votre petite sœur ou votre grand frère prendre son bain en premier ! »

# Tu trouves ça drôle?

Ça se passe dans une caravane. Mais pas en été. En novembre, plutôt, mais ce n'est pas vraiment important.

L'enfant s'est caché sous la table. Il est très patient. Voilà bientôt une heure qu'il attend. Il attend que son père vienne boire une bière en lisant son journal. Comme tous les soirs.

L'enfant ne s'est pas trompé. Son père s'est assis sur le fauteuil pliant, a posé un verre de bière sur la table, a déplié le journal, l'a ouvert à la page des sports. Quand s'est tu le bruit de papier froissé, l'enfant, comme un ressort qui se détend brusquement, a surgi de dessous la table. Sur sa tête, il a fixé, au-dessus de chaque oreille, deux hélices fluorescentes qui se mettent à tourner en vrombissant une note aiguë et stridente. Franchement, elle est comique, cette petite tête de Martien, qui pince les lèvres pour ne pas rire, et roule des yeux ronds et doux comme deux grains de raisin noir.

Mais le père hausse les épaules, tend la main pour saisir le verre de bière et dit :

– Tu trouves ça drôle ?

L'enfant, soudain, a l'air d'un élève pris en faute. Mais il ne se décourage pas. Il va dans la minuscule cuisine aménagée au fond de la caravane. Il referme la porte derrière lui. Il ouvre le Frigidaire, prend six œufs. Il décroche le tablier de cuisine de sa mère, le noue autour de ses reins. Sur sa tête, il enroule un torchon à carreaux rouges et blancs. On dirait un vieux fakir. Puis il entrouvre la porte. Son père s'est levé et fait, au milieu de la pièce, des mouvements d'assouplissement. C'est le moment. Sans trembler, le petit fakir jongle avec les six œufs frais qui décrivent dans l'air un cercle parfait. Son père, cessant sa gymnastique, l'observe en connaisseur.

Alors l'enfant amorce le clou de son spectacle : déviant, habilement, chaque œuf de sa trajectoire, il les laisse éclater, un à un, sur son crâne. Sa petite tête, bientôt, dégouline de blanc, de jaune : c'est à mourir de rire.

Son père hausse les épaules, fait la moue et dit :

— Tu trouves ça drôle ?

Puis ajoute :

— Attention à la moquette !

L'enfant va se laver, puis remplit un seau d'eau pour nettoyer la moquette. Cela lui donne une idée. Vite, il se change : il met son slip de bain, s'équipe de palmes et d'un masque de plongée et, pour rire, se coiffe d'un bonnet de ski.

Son père, penché sur une petite table de toilette, étale une couche de blanc sur son visage. L'enfant s'approche, pose le seau en plastique, recule de quelques pas. Il toussote deux ou trois fois, puis, comme ça ne suffit pas, dit :

— Regarde, papa !

Son père, en grognant, se tourne à moitié et regarde son fils qui prend son élan en levant ridiculement haut ses maigres jambes chaussées de palmes immenses. Trois grands pas d'échassier, et plouf! l'enfant a plongé tête la première dans le seau. Et, parfait petit acrobate, il garde l'équilibre en agitant comiquement ses pieds palmés.

Impassible, son père termine de se maquiller et, fixant le miroir rond posé devant lui, assène encore:

– Tu trouves ça drôle?

Cette fois, l'enfant comprend qu'il a perdu. Il va ranger ses accessoires, se rhabille. Pendant ce temps, son père a revêtu son costume de clown blanc et quitté la caravane. Son numéro commence dans deux minutes sous le chapiteau du cirque, là, à deux pas.

L'enfant ouvre une fenêtre. Il entend les applaudissements. Et presque aussitôt les rires. Alors il se met à rire, lui aussi. Et réfléchit à un nouveau gag qu'il essaiera demain.

Oui, demain.

# Mathématique

Je vous ai déjà dit, je crois, que mon père était prof de français*. Mais ma mère, ce n'est pas mieux: elle est prof de math. Dès que je rentre à la maison, c'est: «Tu as eu combien à ton devoir surveillé? Qu'est-ce que tu as comme exercices ce soir? Et l'interro sur les fractions, ça s'est bien passé, j'espère?»

Bon, vous direz, jusqu'ici, rien d'extraordinaire. Ce genre d'interrogatoire, vous aussi, vous connaissez. Mais chez moi, ça ne s'arrête pas là. Maman a décidé que je serai un grand mathématicien, plus tard, une tête pleine de chiffres, de formules et de

*Voir *Nouvelles histoires pressées*. Milan Poche Junior n° 20.

figures géométriques. Alors, tout est prétexte à des cours particuliers.

Quand on a purée-jambon, le mardi soir, elle saute sur mon assiette, découpe ma tranche de jambon en carrés, triangles ou trapèzes et m'empêche de manger tant que je n'ai pas répondu à une foule de questions saugrenues: «Et ça, c'est un triangle isocèle ou équilatéral? Pourquoi? Démontre-le! Trace-moi la diagonale! Non, avec ton couteau! Où est l'angle droit?»

Le pire, c'est les spaghettis à la bolognaise. Impossible d'en avaler la moindre bouchée avant d'avoir calculé la longueur totale d'un kilo de spaghettis mis bout à bout et évalué le prix de revient par portion de 20, 50 et 250 grammes. Quand j'ai terminé mes calculs, les spaghettis sont froids, et immangeables.

Mais j'ai trouvé la parade. Hier soir. Je crois que maman est guérie pour un bout de temps.

Hier, en effet, c'était son anniversaire et, comme d'habitude, il y avait grande réunion familiale, avec tantes, oncles, cousins-cousines et grands-parents. Au moment de l'apéritif, avant que maman ait eu le temps de me demander de convertir en hectolitres, décalitres et décilitres le 0,13 litre de Coca que je venais de me verser, je me suis levé et j'ai lu le compliment que j'avais préparé :

Ma chère et unique maman,

Tu as aujourd'hui 38 ans. Tu as donc vécu 13 879,5 jours, ou si tu préfères 333 108 heures, soit pour être encore plus précis 19 986 480 minutes. L'espérance de vie moyenne étant de 83 ans pour les femmes, tu peux donc espérer vivre encore 23 668 200 minutes, à condition d'arrêter de fumer comme tu fais 19 cigarettes par jour, soit 6 939,75 par an (en tenant compte des années bissextiles)...

J'ai continué sur ce ton pendant exactement 12 minutes et 32 secondes, dévoilant à maman le nombre de fois qu'elle se laverait les dents, la somme exorbitante qu'elle dépenserait en crème antirides, le temps qu'elle passerait au téléphone (8 mois 22 jours 6 heures 52 minutes au rythme actuel), le poids qu'elle pèserait si elle continuait à prendre en moyenne 658 grammes par an (90 kilos et 86 grammes), etc., etc.

Au début elle souriait, toute fière de son génie de fils, mais très vite son sourire a viré à la grimace, et, quand j'ai eu fini, elle semblait avoir pris un sérieux coup de vieux. À table, elle ne m'a demandé ni de calculer, à la virgule près, le nombre de petits pois par invité, ni d'évaluer la circonférence, la surface et le volume du gâteau d'anniversaire.

Je l'ai même entendue, le soir, qui disait à mon père, en parlant de moi évidemment :

– Ton fils n'a aucun sens poétique, tu devrais t'en occuper un peu plus…

Il va falloir que je ruse sinon je suis bon, maintenant, pour des cours particuliers de littérature !

# Coup de fil

– **A**llô, ici Mathieu Morizet, pourrais-je parler à M. Detailly?

– …

– C'est à propos de la punition que vous m'avez donnée ce matin, vous vous souvenez?

– …

– J'en ai parlé à mon père. Il m'a interdit de la faire. Il dit que c'est débile de donner à copier deux cents fois «Je ne dois pas rire bêtement quand le professeur a le dos tourné.»

– …

– Surtout que c'est pas moi qui ai rigolé. C'est Antoine. Mais à lui, vous ne dites jamais rien. Mon père, lui, il m'a cru. Et il m'a dit: «Ton prof, il m'a l'air complètement givré!» Et mon père, il doit le savoir, parce qu'il est infirmier à l'hôpital psychiatrique!

– …

– Eh, ferme-la un peu. Pour une fois, c'est moi qui cause, compris? T'as fait une connerie, alors, maintenant, faut assumer, comme tu nous dis toujours.

– …

– Tu me fais pas peur, tu sais. T'es rien qu'un prof, après tout. Les droits des enfants, ça existe aussi, c'est pas toi qui fais la loi. T'as réussi à nous terroriser, parce qu'on est des petits sixièmes, mais maintenant, c'est fini, mon vieux, tu as compris? Fini!

– …

– Arrête de gueuler, je te dis! Parce que si tu t'écrases pas, je vais me mettre à causer, moi. Mais pas à toi, non, à ta femme! J'ai bien envie de lui raconter ce que tu fais avec la directrice, la vieille Buchot! Parce qu'on sait ce que vous faites dans le couloir, quand elle vient te chercher pour «une communication urgente», comme elle dit. On vous a espionnés par le trou de la serrure! Et on a vu ce que c'était, la «communication urgente»!

– …

– Tiens, tiens, te voilà calmé, tout d'un coup! Mais tu te mets le doigt dans l'œil si tu crois que tu vas t'en tirer comme ça! Non, mon vieux, il va falloir payer!

– …

– Quoi? Pour qui tu me prends? Quelle ordure, ce type, voilà qu'il veut m'acheter, maintenant! Quand je dis «payer», c'est pas avec du fric, crapule, ce serait trop facile! Non, non, ce que je veux, c'est des excuses, et dans les formes, compris? Allez, j'attends…

– …

– On dit pas: «Je m'excuse», mais: «Je vous prie de bien vouloir m'excuser.» Allez, répète!

– …

– Ouais, ça peut aller. Je t'excuse. Parce que je suis trop bon. Mais tu me copieras deux mille fois:

« Je ne punirai plus injustement mes élèves et je les autorise désormais à rire et bavarder autant qu'il leur plaira. » Et naturellement, tu feras signer. Par ton fils. Compris ?

– …

– On dit : « Oui, monsieur Morizet. »

– …

– Bon, raccroche, maintenant, je t'ai assez entendu.

À son tour, Mathieu pose le combiné. Il se regarde dans le miroir de l'entrée. Poitrine gonflée, petit sourire satisfait, il est content de lui : il a fait du bon travail.

Naturellement, il n'avait pas composé de numéro. Naturellement, il n'y avait personne au bout du fil. Mais quand même, ça fait du bien. Et c'est le cœur léger qu'il termine sa punition.

# Ventre

J'ai rêvé que mon ventre se vidait, d'un coup, sur le trottoir devant l'école. Il s'ouvrait sans prévenir, comme un gros sac dont on tire la fermeture Éclair, et tout tombait, en vrac, sur le bitume : le foie, la rate, les reins, le cœur, les poumons, des kilomètres d'intestins… Ça faisait un drôle de bruit, flasque et mouillé, assez dégoûtant. Mais je n'étais ni surprise, ni effrayée.

Autour de moi, les gens s'empressaient, intéressés.

– Oh, disait l'un d'eux, un cœur tout neuf !

Et il le ramassait d'un geste furtif, comme on vole une orange à l'étal.

Deux autres se battaient pour un rein. Une vieille femme, du bout de sa canne, soulevait mes intestins, attentive, à la recherche d'un défaut.

Bientôt, il ne resta plus rien, qu'un peu de sang séché sur le trottoir. Je sentis un grand vide, tout au-dedans de moi. Je m'assis sur un banc. J'avais l'impression que j'allais me ratatiner, comme un oreiller crevé.

Mon rêve s'est bêtement terminé, comme tous les rêves : je me suis réveillée. J'étais allongée dans mon lit, la veste du pyjama ouverte, une main sur mon ventre. Je l'ai caressé, contente de le sentir plein, un peu rebondi.

Je me suis levée et j'ai rejoint maman à la cuisine. Elle était assise sur une chaise, devant la porte-fenêtre, le dos cambré, les jambes un peu écartées, et elle mangeait un yaourt. Je me suis agenouillée près d'elle, j'ai mis la tête sur le haut de ses cuisses et posé la main droite sur son ventre tout rond. Elle a ri.

— Tu dis bonjour au bébé ? a-t-elle dit.

J'aurais pu lui raconter mon rêve. J'ai simplement demandé :

— Tu es sûre qu'il ne va pas tomber ?

Elle m'a soulevé le menton et m'a regardée droit dans les yeux.

— Mais non, a-t-elle murmuré, n'aie crainte…

Je me suis sentie bien, tout d'un coup, et j'ai oublié mon rêve.

# Mannequin

Tout ça, c'est de la faute de Marima. C'est ma marraine et, en vrai, elle s'appelle Marie-Madeleine. Il y a trois mois, elle a vu une annonce dans un magazine:

Agence de mannequins cherche enfants de 3 à 13 ans pour publicité journaux TV et défilés de mode. Contacter Anne-Sophie au 01 42 77 86 58.

Elle m'aime, Marima, et elle est persuadée que je suis le plus mignon petit garçon du monde, malgré mes oreilles (un peu) décollées, mes dents (très) écartées et mes pieds plats. Elle a donc téléphoné à l'agence et m'a annoncé un beau soir:

—J'ai pris rendez-vous pour toi mercredi matin.
Fais-toi beau, mon canard, je passe te prendre
à huit heures et demie.

—Tu es sûre que ça va les intéresser, les gens de
l'agence? a demandé maman, réaliste.

—Bien sûr que «ça» va les intéresser, a répondu
sèchement Marima; parce que je te rappelle que
«ça», c'est ton fils, et surtout MON filleul!

Le mercredi matin, donc, à huit heures et demie
précises, elle sonnait chez nous. Elle a été un peu
surprise en me voyant. J'avais fait un cauchemar
cette nuit-là: j'avais sauté dans un fossé pour
échapper à un camion fou qui me pourchassait et
je m'étais réveillé en bas de mon lit, la table de nuit
renversée sur moi. Le fossé devait être profond,
car j'avais une grosse bosse sur le front et une plaie
noirâtre sur la joue.

—Ce n'est pas grave, a dit Marima, avec un peu
de fond de teint, ça ne se verra pas.

Nous nous sommes mis en route. Juste quand nous arrivions à l'agence de mannequins, une fille magnifique en sortait, un top model tout droit descendu d'une affiche. Mais au moment où nous la croisions, un de ses hauts talons s'est coincé dans une grille d'égout. Elle a vacillé, perdu l'équilibre et s'est effondrée sur moi. Je n'ai pas encore l'habitude que les filles me tombent dans les bras, alors patatras! elle m'a entraîné dans sa chute. Elle s'en est tirée sans une égratignure. Pas moi: nez écrasé, un œil touché, une dent cassée, je m'étais sérieusement abîmé le portrait.

–Ne t'en fais pas, m'a consolé Marima en épongeant le sang qui dégoulinait de mon nez, tu montreras ton bon profil, et, avec une lumière tamisée, ça ira très bien.

Quand elle a vu mon visage tuméfié, l'hôtesse d'accueil m'a sèchement prié d'aller me faire soigner ailleurs. Mais Marima s'est fâchée, a menacé, et, de guerre lasse, l'hôtesse a décroché son téléphone pour nous annoncer. Un type en pantalon

de cuir et tee-shirt orange est apparu. En m'apercevant, il a d'abord demandé :

– C'est quoi, ce monstre ?

Puis il a brusquement changé d'attitude. Il a
murmuré quelque chose à l'oreille de l'hôtesse,
et m'a dit de le suivre.

Je me suis retrouvé dans un studio de photo.
Marima avait dû rester à la porte. Le type au tee-
shirt orange m'a fait asseoir sur un tabouret, a
dirigé plusieurs projecteurs en plein sur mon visage
et, sans dire un seul mot, m'a mitraillé avec son
appareil photo. La lumière me brûlait les yeux et
je me sentais terriblement mal à l'aise. Puis le pho-
tographe a dit : « C'est bon », et je suis sorti.

Pendant plus de deux mois, je n'ai pas eu de
nouvelles de l'agence. J'avais presque oublié la
séance de photos. Et puis, lundi dernier, en sortant
du cours de boxe, je me suis vu. Sur un immense
panneau publicitaire, au beau milieu du carrefour,
s'étalait un gros plan de mon visage martyrisé :
bosse sur le front, plaie sur la joue, nez écrasé,

bouche sanglante, regard affolé. Au-dessus, en lettres noires, cet appel:

## Chaque année, 35 000 enfants sont maltraités. Si vous n'intervenez pas, qui leur viendra en aide?

Et tout en bas de l'affiche, en vert, le numéro de téléphone d'une association, «Aide à l'enfance malheureuse».

Depuis, je tombe cent fois par jour sur mon portrait: dans les journaux, à la télévision, sur les murs de la ville… Une affiche est même arrivée à l'école. Le pire, c'est qu'avec les coups que je prends à la boxe, ma tête ne s'est pas arrangée, et les gens me reconnaissent dans la rue. Avec moi, ils sont plutôt gentils. Ils disent: «Oh, le pauvre petit», et une vieille dame, hier, m'a offert des caramels. Mais avec mes parents, c'est autre chose. Ils se font traiter de «bourreaux d'enfants» au téléphone, et trois assistantes sociales sont venues chez nous pour faire une enquête.

Marima n'est pas encore au courant. Elle est en vacances au Japon. Elle rentre demain. Mes parents iront la chercher à l'aéroport. Mais ils ne sont pas d'accord entre eux: papa veut la griller morceau par morceau au barbecue; maman, elle, a juré qu'elle la passerait vivante au hachoir électrique.

# Pyjama

Ce pyjama, il l'avait trouvé au fond d'un placard, un jour. C'était sans doute la seule chose qu'avait laissée son père quand il était parti. Laissée ou, plus sûrement, oubliée.

Un pyjama en soie, rouge à motifs noirs. Un pyjama de coupe classique, à gros boutons de nacre. Sur la poche de poitrine étaient brodées deux initiales : PM. Les initiales de son père : Patrice Marcheville. Ou les siennes, car il se prénommait Philippe.

Quand il l'avait trouvé, deux ans auparavant, le pyjama était bien trop grand pour lui. Souvent, depuis, il l'avait essayé, en cachette, quand sa mère n'était pas là. Un soir, enfin, perché sur un tabouret devant le miroir de la salle de bains, il avait pu constater qu'il avait assez grandi. Le pyjama n'était plus trop long. Beaucoup trop large, bien sûr, et il flottait dedans. Mais cela se remarquait à peine.

Pendant trois nuits, il n'avait pas osé. Il avait revêtu le pyjama, il avait mis le réveil à sonner pour six heures du matin, il s'était réveillé et s'était levé. Mais il n'avait pas osé.

Ce matin-là, il sentit qu'il était prêt. Il était calme, et fier. Il était un homme. Enfin.

Il sortit sans bruit de sa chambre. Il descendit l'escalier, sans faire craquer les marches. Il s'arrêta devant la chambre de sa mère. Il baissa la poignée. Il ouvrit la porte. Près de sa mère, contre elle, était allongé un homme. Un homme qu'il ne connaissait pas.

Il referma la porte. La douleur vint ensuite, tranchante, étouffante. Il courut dans le jardin. L'aube était belle, laiteuse et dorée. Peu à peu, sa respiration s'apaisa. Ses joues étaient mouillées, mais il ne le savait pas.

Par-dessus la haie, soudain, une voix l'appela. C'était Sylvie, la fille des voisins, qui partait travailler. Elle était infirmière.

–Eh, Philippe, déjà levé? Mais qu'est-ce que tu fais dans ce pyjama trois fois trop large pour toi? Tu te déguises pour carnaval?

Philippe la regarda sans comprendre. Et puis les mots qu'elle avait prononcés parvinrent enfin jusqu'à lui. Alors il tourna sur lui-même et, agitant les bras, éclata de rire.

–Oui, oui, hoqueta-t-il, je me déguise. En clown! En clown! Ça ne se voit pas?

# Grasse matinée

Non, je ne me lèverai pas. Maman pourra hurler tant qu'elle veut, je resterai toute la journée au lit. Toute la semaine, si ça me chante. Et si elle me touche, je mords !

Papa reste bien au lit, lui. Je sais, il est au chômage, mais ce n'est pas une raison. D'abord, moi, je suis gréviste. Je fais la grève de l'école. Pour ce qu'on y fait, d'ailleurs, à l'école… La moitié du temps, on se bagarre. Hier, Kévin a craché dans le dos de la maîtresse, et elle ne l'a même pas vu ! Oui, mais moi, quand j'ai craché sur Kévin pour la venger, elle m'a collé cent lignes ! C'est beau, la justice !

Voyons, qu'est-ce que je vais fabriquer toute la journée ? Si seulement, j'avais la télé dans ma chambre ! Ah, je sais, je vais m'entraîner aux fléchettes, il doit en rester une ou deux, sous l'armoire. De mon lit, je pourrai les lancer sur le mur d'en face, en plein sur le poster de Sylvester Stallone que m'a offert mémé. Franchement, je ne m'en étais pas aperçu jusqu'à aujourd'hui, mais il a une sale gueule, ce type.

Quand même, c'est bizarre, maman aurait dû venir me réveiller depuis longtemps. Ça fait une heure que les voisins du dessus font du boucan. Il doit bien être sept heures et demie. Elle a dû deviner que je ne veux pas me lever, et elle est capable de faire exprès de ne pas venir me réveiller !

C'est que j'ai faim, moi. Voyons, je dois encore avoir dans mon cartable un des gâteaux au chocolat que j'ai piqués hier à Cindy. Non. Mince, qui les a fauchés ? Je parie que c'est ce gros porc de Mickaël ! Il ne perd rien pour attendre, celui-là. Tu verras tout à l'heure, à la récré !

Bon, maintenant, ça commence à bien faire. Qu'est-ce qu'elle fiche, ma mère? Elle s'est barrée en douce, ou quoi? Tiens, une idée: je vais mettre à fond la radio de la cuisine, et je me recouche en vitesse…

Quelques instants plus tard. La radio beugle un tube quelconque. Le gamin n'a pas le temps de regagner sa chambre que la voix de sa mère s'élève, mi-endormie, mi-furieuse:

– Non, mais tu es dingue, ou quoi? Tu as vu l'heure qu'il est? Cinq heures vingt! File éteindre cette radio et retourne te coucher! Et ne te lève pas avant que je t'en donne l'autorisation!

# Nelly, je t'aime

Pedro, le fils du maçon, était un jeune homme romantique. Le soir du 14 Juillet, il avait dansé avec Nelly, la fille du maire. Ils avaient dansé une danse seulement, sans échanger un mot, le regard de l'un accroché au regard de l'autre. Et Pedro était tombé fou amoureux.

Sur le flanc du plus haut immeuble de la ville, quelques jours plus tard, il avait peint en lettres géantes : « NELLY, JE T'AIME. » Mais Nelly n'avait pas répondu.

Sur la pelouse de l'hôtel de ville, il avait planté des milliers de dahlias, pétunias, pensées et capucines qui dessinaient en lettres multicolores les mots: «NELLY, JE T'AIME.» Mais Nelly n'avait pas répondu.

Il avait escaladé les tours de la cathédrale pour accrocher une immense banderole qui hurlait au vent, en lettres rouges et noires: «NELLY, JE T'AIME.» Mais Nelly n'avait pas répondu.

Il avait installé dans les rues, les squares, sur tous les boulevards et les avenues des centaines de haut-parleurs qui chantaient, murmuraient, suppliaient, déclamaient, criaient: «NELLY, JE T'AIME.» Mais Nelly n'avait pas répondu.

Il avait sculpté, lettre à lettre, sur les piliers en béton du pont de chemin de fer: «NELLY, JE T'AIME.» Mais Nelly n'avait pas répondu.

Le soir du 14 Juillet suivant, il aimait encore, mais n'espérait plus. Avant le bal, on tirait le feu d'artifice. Des étoiles roses et rouges éclatèrent dans le ciel, des jaillissements d'or et d'argent, des crépitements bleutés embrasèrent la nuit, et puis ce fut le final. En vert, en jaune, en orange, en bleu, en rouge, explosèrent tour à tour dans le ciel complice des lettres-fusées qui disaient au monde entier :

« MOI AUSSI, PEDRO, JE T'AIME. »

# Horreur

Vincent est allongé dans son lit et dort profondément. Quand il s'est couché, ce soir-là, la maison lui a paru pleine d'ombres et de menaces. «Je n'aurais pas dû regarder ce film, a-t-il pensé, je n'arriverai jamais à m'endormir.» Mais deux minutes plus tard, il dormait, inconscient du cauchemar qui se préparait.

Une lumière violente, soudain, lui brûle les yeux. Et une voix ordonne :

— Boucle-la et fais ce que je te dis !

Le temps d'habituer ses yeux à la lumière vive, il voit, et comprend. Un homme, le visage masqué d'une cagoule, est debout devant son lit, et pointe sur lui un revolver.

Il pense : « Ce n'est rien, un rêve, juste un rêve. » Mais la peur lui mord le ventre et, comme un automate, il lève les mains en l'air.

– Te fatigue pas, fait l'homme, on n'est pas au cinéma. Allez, lève-toi !

Vincent n'obéit pas assez vite. L'homme à la cagoule l'agrippe violemment par le bras, puis, d'un coup de pied, le projette dans le couloir. Vincent chancelle, tombe. L'homme le relève en le tirant par les cheveux et le traîne jusqu'à la chambre de ses parents.

Vincent pousse un cri : sa mère est allongée à terre, pieds et mains liés, bouche bâillonnée. Son père, attaché par une corde aux montants du lit, est menacé par un deuxième bandit, masqué lui aussi. En apercevant Vincent, il gémit faiblement et son regard dit l'horreur, l'effroi.

Le premier homme, brutalement, fait s'agenouiller Vincent, lui arrache sa veste de pyjama, sort de sa poche un couteau à cran d'arrêt, libère la lame aiguë et tranchante.

– Décide-toi maintenant, dit-il en regardant le père de Vincent. Tu as le choix : tu viens avec nous ouvrir le coffre de ta banque, et on libère ces deux-là. Ou bien, tu refuses, et alors…

Et il fait jouer son couteau (clic-clac, fermé-ouvert) sur le ventre de Vincent. Vincent détourne les yeux, il n'ose pas regarder son père. Il entend un cœur qui bat, il ne sait pas si c'est le sien. Il sent une peur glacée l'étouffer peu à peu. Il hurle :

– Arrêtez ! Arrêtez !

*Oui, j'arrête, Vincent, j'arrête, je t'en prie, cesse de crier. Tu vois, j'efface tout sur l'écran de l'ordinateur, tout, même le titre de mon histoire. Voilà, il ne s'est rien passé, rien, pas même un mauvais rêve. Ce n'est pas ce que je voulais, je te le jure. Les mots sont venus malgré moi. Tiens, pour me racheter, je t'écris une autre histoire. Regarde :*

Vincent est allongé sur son lit, et dort profondément. Soudain, la porte de la chambre s'ouvre lentement. Un personnage masqué entre silencieusement. Vêtu d'un ample peignoir blanc. Impossible de deviner si c'est un homme ou une femme. Ou un enfant.

L'intrus s'avance jusqu'au lit. Il n'a pas allumé la lumière. La clarté de la nuit qui perce à travers les légers rideaux lui suffit. Il tient quelque chose dans la main gauche. D'un geste prudent, il soulève drap et couverture. Puis, délicatement, il déboutonne la veste de pyjama de Vincent et lui dénude le ventre. La respiration de l'enfant s'accélère, mais à peine.

On peut identifier maintenant, grâce à un rai de lumière, l'objet que l'individu en peignoir blanc penche au-dessus du lit. C'est une petite bouteille d'eau. De l'eau glacée, sûrement. Car quand il (ou elle) la verse, d'un coup, sur la peau nue de Vincent, celui-ci se réveille en sursaut et hurle :

– Arrêtez ! Arrêtez !

Son visiteur masqué éclate de rire. Mais s'arrête brusquement quand il voit Vincent se jeter à ses pieds et gémir d'une voix au-delà de la douleur :

–Non… pas ça… pas ça… pas ça…

Alors le mauvais plaisant lève son masque. C'est un adolescent, un garçon de quinze ans, tout au plus. Il secoue Vincent, essaie de le calmer:

–Eh, c'est moi, Éric… c'est une blague…

Mais Vincent ne se calme pas; il tremble, il sanglote, il supplie:

–Arrêtez… Arrêtez… s'il vous plaît, arrêtez…

*Désolé, mais cette fois-ci, Vincent, ce n'est pas ma faute. Je te prépare une blague innocente, et tu vas imaginer je ne sais quoi. Tu avais raison, tu n'aurais pas dû regarder ce film sur la troisième chaîne…*

# Anniversaire

J'ai 12 ans mercredi prochain. Vraiment pas de quoi se réjouir.

Comme l'an dernier, papa m'a demandé :

– Qu'est-ce qui te ferait plaisir pour ton anniversaire ? Dis-moi ce que tu veux, et je te l'offre.

Comme l'an dernier, j'ai répondu, sans trop y croire :

– Un flacon d'eau de toilette Superman.

Parce que j'ai vu la pub à la télé. C'est un type à moto. Il s'asperge de Superman et des dizaines de filles le suivent à la trace, en voiture de course, en hélicoptère ou en char à voile. C'est de la pub, je sais, mais peut-être que ça marche un peu.

J'aimerais bien qu'une fille, une seule, me coure après en patins à roulettes, ou même en trottinette, quand je suis sur ma bicyclette. Sophie, par exemple…

Eh bien, ce ne sera pas pour cette année.

–Superman! a ricané mon père, tu me fais marcher, pas vrai? Allez, je sais bien ce que tu veux: Scrubble II, le tout nouveau jeu vidéo, c'est ça, hein? Ne t'en fais pas, tu l'auras!

Je n'ai pas protesté. À quoi bon? Papa m'offrira Scrubble II. Parce qu'il meurt d'envie de l'avoir. La console de jeu qu'il m'a achetée pour Noël, il est le seul à s'en servir.

–Et si on se faisait une petite bouffe pour fêter l'événement? a-t-il ajouté. Tu as envie de quelque chose en particulier?

Je suis furieusement optimiste: j'ai cru qu'il me demandait vraiment mon avis.

–J'invite Sophie, Johan, et tu nous emmènes au McDo! ai-je proposé.

Il m'a regardé comme si j'avais parlé javanais.

–McDo! a-t-il répondu. Tu sais bien que tu n'aimes pas les hamburgers!

Non, je ne le savais pas. Je savais seulement que lui ne les aimait pas.

–Écoute, je connais un petit resto supersympa, a-t-il décidé. Tu verras, ça te plaira. J'inviterai Catherine…

Catherine est la dernière conquête de mon père, et je la DÉTESTE! Mais je n'ai rien dit. Ce sera un anniversaire comme les autres, voilà tout. Et puis, je me rattraperai bientôt. Dans moins d'un mois, c'est la fête des Pères. Et je sais, je sais même très bien ce qui fera plaisir à mon père. Comme cadeau, un flacon de Superman (avec l'après-rasage en prime). Et pour fêter ça dignement, un repas au McDo. Avec Sophie, Johan et Mossa. Ou Sophie toute seule, si Superman est aussi efficace que le prétend la publicité!

# Demain

Je vais mourir. Demain matin, juste après le petit déjeuner, quand papa et maman seront partis, au moment d'aller à l'école.

C'est la seule solution. Je n'ai pas fait ma rédaction. J'ai déjà une semaine de retard. Le prof m'a dit que si je ne lui rendais pas mon devoir demain, j'aurais deux heures de colle. Et il m'enverra chez le directeur. Et le directeur convoquera mes parents. Et il leur dira pour le zéro en math. Et pour la signature que j'ai imitée sur le carnet de notes…

Alors, je n'ai pas le choix. Je vais mourir. Ils ne pourront plus rien me faire, après. Ils seront bien embêtés. Ils diront : « C'est notre faute. » Et ils pleureront.

J'espère que ça ne fait pas mal, la mort. Ça doit être ennuyant, quand même : on ne bouge pas, on ne fait rien, on trouve le temps long. Mais ça m'est égal. C'est toujours mieux que ce qui m'attend à la maison, si…

J'espère aussi que ce n'est pas trop froid, la mort. Parce qu'il ne faudrait pas que je tombe malade. Mercredi, j'ai un match de football et, sans moi dans les buts, franchement, je ne vois pas comment les copains pourront se débrouiller.

# Archimémé

Elles lui ont joué un sale tour, vraiment.

Comme chaque mercredi, Baptiste, sa mère et sa sœur Stéphanie sont allés à la maison de retraite pour rendre visite à Archimémé. C'est comme ça qu'on appelle, dans la famille, l'arrière-grand-mère de quatre-vingt-neuf ans. D'habitude, Baptiste et Stéphanie se contentent d'un rapide bonjour, puis filent à leur cours de judo, laissant Archimémé à la garde de leur mère. Mais aujourd'hui, lâchement, sous prétexte que le professeur de judo était malade, mère et fille ont abandonné Baptiste à la vieille dame, lançant un hypocrite :

– On fait vite un tour en ville et on vous rejoint ici !

Baptiste, comme toujours, a réagi trop tard : quand il a voulu protester, elles avaient déjà refermé derrière elles la porte de la chambre. Archimémé l'a regardé en grimaçant un sourire, mais n'a rien dit. Elle est même restée longtemps sans ouvrir la bouche.

Une main tremblotante agrippée au bras de son fauteuil, elle l'examinait avec curiosité, comme s'il était un bibelot un peu encombrant qu'on venait de lui livrer. Baptiste, gêné, tirait sur le cordon de son anorak.

Tout à coup, Archimémé, de sa voix fade et usée, demande :

– Tu es puni ?

Étonné, Baptiste relève la tête, bredouille :

– Non… pourquoi ?

L'arrière-grand-mère éclate d'un rire grelottant :

– Ben… t'enfermer tout seul avec un vieux débris comme moi, c'est pas un cadeau, hein ?

Baptiste rougit et détourne les yeux. Nouveau silence. La vieille dame froisse une feuille du journal étalé sur ses genoux.

– Tu t'embêtes, hein? grince-t-elle encore.

Ce n'est pas une question. Elle ne lui laisse pas le temps de répondre, d'ailleurs. Elle ajoute, boudeuse:

– Moi aussi.

Et puis, plus bas:

– Mais j'ai l'habitude.

Elle soupire. Non, elle siffle plutôt. Et elle se penche, complice, l'œil vif:

– Dis, qu'est-ce que tu fais, toi, quand tu t'ennuies?

Baptiste la regarde, étonné. Rassuré, il répond:

– Je joue avec ma Game Boy.

– Avec quoi?

Comme c'est plus facile de montrer que d'expliquer, Baptiste, vite, sort la console portable qu'il a emportée, justement, dans la poche de son anorak. Et il commence une partie, s'échauffant peu à peu, se prenant au jeu. Archimémé suit attentivement. Soudain, elle tend la main et dit :

– À moi.

Les vieux doigts, d'abord, sont malhabiles, mais ils s'obstinent, apprennent les touches, acquièrent les réflexes. Et Baptiste encourage, triche un peu, intervient pour sauver la situation. Quand la partie est finie, la vieille dame donne une tape affectueuse sur la main de l'enfant.

– Je vais te montrer à quoi je joue, moi, pour passer le temps.

Elle prend un paquet de cartes sur la table, les bat, maladroitement, les étale avec ordre.

– Ça s'appelle une patience, dit-elle.

Et elle explique les règles, déplace les cartes, les entasse. Puis c'est au tour de Baptiste. Il comprend vite. Au milieu du jeu, la porte de la chambre s'ouvre. La mère et la sœur de Baptiste ont fini leurs courses. Archimémé, vivement, repousse les cartes. Elle reprend sa voix geignarde, tremblotante :

– C'est pas trop tôt ! gémit-elle. On n'a pas idée de me laisser aussi longtemps seule avec ce gosse qui ne tient pas en place. La prochaine fois, je veux que ce soit Stéphanie qui me garde ; le gamin, vous le laisserez à la maison.

Baptiste la regarde, interloqué. Mais il devine, au coin de la bouche ridée, un sourire amusé. Et quand ils s'en vont, comme il est le dernier à quitter la pièce, il dépose brusquement sur les genoux d'Archimémé sa console électronique.

# Ce serait bien…

Ce serait bien si les boucles d'oreilles en forme de serpents de la maîtresse se transformaient vraiment en serpents. Des serpents vivants qui lui mordraient le cou, ou se glisseraient dans son corsage. Mais ce serait bien qu'elle ne meure pas tout de suite, qu'elle se mette d'abord à hurler, à arracher ses vêtements comme si elle brûlait vive. Peut-être qu'après on ne fera pas la dictée…

Ce serait bien si les soixante-dix-huit boutons d'acné de ma sœur Édith se mettaient à clignoter. Bleu-rouge-vert-jaune citron, elle brillerait la nuit, comme une guirlande électrique. Et ce serait bien qu'elle brille longtemps, au moins jusqu'à Noël.

Je lui accrocherais des boules dorées et ce serait notre sapin de Noël. Peut-être alors que le père Noël existera…

Ce serait bien si les canettes de bière que vide mon père devenaient des trompettes, des flûtes ou des clarinettes. Avec tout ce qu'il boit, il aurait bientôt une fanfare, et ça sonnerait si fort quand il jouerait des valses et des rumbas qu'on ne l'entendrait plus crier. Peut-être que ma mère réapprendra à danser…

Et puis, ce serait bien si mon ventre gonflait, enflait comme un ballon géant, et mes bras, mes jambes aussi, comme d'énormes boudins, et ma tête, comme une mappemonde. Et le vent m'emporterait haut vers les nuages et le soleil. Je regarderais tout en bas et ne verrais plus rien : ni mon père, ni ma mère, ni ma sœur clignotant dans la nuit, ni la maîtresse enterrée dans la cour de l'école…

Alors sûrement, sûrement, je trouverai que le monde est beau.

# TABLE DES MATIÈRES